国际大奖小说

PEUR SUR LA FERME

农场疑案

[法] 索菲·迪奥埃德 / 著
[法] 瓦耐莎·黑尔 / 绘
孙　瑛 / 译

新蕾出版社

图书在版编目 (CIP) 数据

农场疑案/(法)迪奥埃德著;(法)黑尔绘;孙瑛译.
—天津:新蕾出版社,2011.5(2016.7 重印)
(国际大奖小说)
ISBN 978-7-5307-5054-4
Ⅰ.①农…
Ⅱ.①迪…②黑…③孙…
Ⅲ.①儿童文学-长篇小说-法国-现代
Ⅳ.①I565.84
中国版本图书馆 CIP 数据核字(2011)第 054717 号

津图登字:02-2010-259

出版发行:新蕾出版社
e-mail:newbuds@public.tpt.tj.cn
http://www.newbuds.cn
地　　址:天津市和平区西康路 35 号(300051)
出 版 人:马梅
电　　话:总编办(022)23332422
发行部(022)23332676　23332677
传　　真:(022)23332422
经　　销:全国新华书店
印　　刷:山东德州新华印务有限责任公司
开　　本:880mm×1230mm　1/32
字　　数:40 千字
印　　张:3.5
版　　次:2011 年 5 月第 1 版　2016 年 7 月第 12 次印刷
定　　价:12.00 元

一辈子的书

梅子涵

亲近文学

一个希望优秀的人，是应该亲近文学的。亲近文学的方式当然就是阅读。阅读那些经典和杰作，在故事和语言间得到和世俗不一样的气息，优雅的心情和感觉在这同时也就滋生出来；还有很多的智慧和见解，是你在受教育的课堂上和别的书里难以如此生动和有趣地看见的。慢慢地，慢慢地，这阅读就使你有了格调，有了不平庸的眼睛。其实谁不知道，十有八九你是不可能成为一个文学家的，而是当了电脑工程师、建筑设计师……可是亲近文学怎么就是为了要成为文学家，成为一个写小说的人呢？文学是抚摸所有人的灵魂的，如果真有一种叫作“灵魂”的东西的话。文学是这样的一盏灯，只要你亲近过它，那么不管你是在怎样的境遇里，每天从事

怎样的职业和怎样地操持，是设计房子还是打制家具，它都会无声无息地照亮你，使你可能为一个城市、一个家庭的房间又添置了经典，添置了可以供世代的人去欣赏和享受的美，而不是才过了几年，人们已经在说，哎哟，好难看哟！

谁会不想要这样的一盏灯呢？

阅读优秀

文学是很丰富的，各种各样。但是它又的确分成优秀和平庸。我们哪怕可以活上三百岁，有很充裕的时间，还是有理由只阅读优秀的，而拒绝平庸的。所以一代一代年长的人总是劝说年轻的人："阅读经典！"这是他们的前人告诉他们的，他们也有了深切的体会，所以再来告诉他们的后代。

这是人类的生命关怀。

美国诗人惠特曼有一首诗：《有一个孩子向前走去》。诗里说：

> 有一个孩子每天向前走去，
> 他看见最初的东西，他就变成那东西，
> 那东西就变成了他的一部分……

如果是早开的紫丁香，那么它会变成这个孩子的一部分;如果是杂乱的野草,那么它也会变成这个孩子的一部分。

我们都想看见一个孩子一步步地走进经典里去,走进优秀。

优秀和经典的书,不是只有那些很久年代以前的才是,只是安徒生,只是托尔斯泰,只是鲁迅;当代也有不少。只不过是我们不知道,所以没有告诉你;你的父母不知道,所以没有告诉你;你的老师可能也不知道,所以也没有告诉你。我们都已经看见了这种“不知道”所造成的阅读的稀少了。我们很焦急,所以我们总是非常热心地对你们说,它们在哪里,是什么书名,在哪儿可以买到。我就好想为你们开一张大书单,可以供你们去寻找、得到。像英国作家斯蒂文生写的那个李利一样,每天快要天黑的时候,他就拿着提灯和梯子走过来,在每一家的门口,把街灯点亮。我们也想当一个点灯的人,让你们在光亮中可以看见,看见那一本本被奇特地写出来的书,夜晚梦见里面的故事,白天的时候也必然想起和流连。一个孩子一天天地向前走去,长大了,很有知识,很有技能,还善良和有诗意,语言斯文……

同样是长大,那会多么不一样!

自己的书

优秀的文学书，也有不同。有很多是写给成年人的，也有专门写给孩子和青少年的。专门为孩子和青少年写文学书，不是从古就有的，而是历史不长。可是已经写出来的足以称得上琳琅和灿烂了。它可以算作是这二三百年来我们的文学里最值得炫耀的事情之一，几乎任何一本统计世纪文学成就的大书里都不会忘记写上这一笔，而且写上一个个具体的灿烂书名。

它们是我们自己的书。合乎年纪，合乎趣味，快活地笑或是严肃地思考，都是立在敬重我们生命的角度，不假冒天真，也不故意深刻。

它们是长大的人一生忘记不了的书，长大以后，他们才知道，原来这样的书，这些书里的故事和美妙，在长大之后读的文学书里再难遇见，可是因为他们读过了，所以没有遗憾。他们会这样劝说："读一读吧，要不会遗憾的。"

我们不要像安徒生写的那棵小枞树，老急着长大，老以为自己已经长大，不理睬照射它的那么温暖的太阳光和充分的新鲜空气，连飞翔过去的小鸟，和早晨与晚间飘过去的红云也一点儿都不感兴趣，老想着我长大

了，我长大了。

“请你跟我们一道享受你的生活吧！”太阳光说。

“请你在自由中享受你新鲜的青春吧！”空气说。

“请你尽情地阅读属于你的年龄的文学书吧！”梅子涵说。

现在的这些“国际大奖小说”就是这样的书。

它们真是非常好，读完了，放进你自己的书架，你永远也不会抽离的。

很多年后，你当父亲、母亲了，你会对儿子、女儿说：“读一读它们，我的孩子！”

你还会当爷爷、奶奶、外公和外婆，你会对孙辈们说：“读一读它们吧，我都珍藏了一辈子了！”

一辈子的书。

目录

PEUR SUR LA FERME

农场疑案

目录

农场疑案

PEUR SUR LA FERME

第一章

雷克斯，主人的狗

我觉得，一切都开始于主人的表弟卡斯东来到农场以后。

他把自己的大汽车停在了院子里。那时正是八月末，湿热的天气持续了好几天，好像要有一场暴风雨的样子，但是雨一直没下。天阴沉沉的，有云的地方就显得

很亮，而且不时有闪电在空中出现。大家都放下了手里的活儿，聚过来参观这辆汽车。他们围着汽车转来转去，那样子就跟主人在农展会上围着奶牛转圈时一样。卡斯东表弟神气活现地站在汽车旁边，摆出一副主人的姿态，一只手搭在闪闪发光的车顶上。

“哇，这东西！”我的主人赞叹着，“这东西得比我的拖拉机贵一倍吧？”

卡斯东表弟往谷仓那边看了看。那个星期正好拖拉机坏了，停放在那辆两马力的汽车边上，那辆老旧的拖拉机立刻显得没有任何值得骄傲的地方，它的一个轮子坏了，正在村里修理呢，光秃秃的轴承下面用一堆木头支撑着。

“至少要贵三四倍！”卡斯东表弟大声吹嘘着。

“嘶……”我的主人倒吸了口冷气，“早知道我也买汽车了！我当初不应该把所有钱都投到玉米上来着。唉！”

这点我倒是非常同意。谁也不能说我在农场上处境不好，但是，即便我是这里最得宠的狗，我跟养牛场里最没用的狗也绝对没法比。我想象着我的食物：“嘿！过来，可爱的狗狗，把这一大块牛肉吃掉，我们实在不知道要用它做什么了！”

我只有在想象中吞吞口水了。

“你真是应该开始发展点儿养殖业了！”卡斯东表弟

跟主人说,“尤其是现在又有现代技术,可以让小牛长得又漂亮又肥,肉又多,都是些你想都想不到的办法!”

“走,进屋,”主人咕哝着,“你跟我仔细说说都有什么办法……”

我还没吃完饭呢,不过我闻了闻盛食物的盆子,就毫不犹豫地跟着他们进了屋。如果能够找到一个方法使我的伙食质量提高一些,不再是这些软塌塌、黑糊糊又没什么味道的剩饭,那我一定得去听听,只是为了让生活多点儿希望。

我跟着他们进了屋。

我跟农场里另外两条狗——贝贝特和努瓦罗的待遇不同,它们是只在狩猎的时候才用得到的狗。而我,我是这里最得宠的狗,虽然这个地位不能让我的伙食得到改善,至少让我成为唯一一个可以卧在主人脚边的狗,即使趴在桌子底下也没问题。

主人的妻子加布里埃尔嘟嘟囔囔的,因为她得给他们准备瓶酒。那天的光线透过大块红白格子的桌布照下来,很柔和。卡斯东表弟脱了鞋,不停地来回搓着两只脚,他的鞋子散发着一股新牛皮的味道。

主人和卡斯东表弟一直等到加布里埃尔从厨房里走出去才开始谈话。他们很小声地说话,就好像他们说的是什么不可告人的秘密似的,绝对不能让任何人知

道，除了我。

“那么，你觉得养牛有钱可赚吗？”主人小声问。

卡斯东表弟应该是做了一个动作。

“这么多？”

“你都想象不到，”卡斯东表弟说，“尤其是如果你不

反对使用某些添加剂的话……”

“化学产品吗？”主人不高兴地说。

“化学产品！”卡斯东表弟笑嘻嘻地说，“一切含有化学成分的东西！我跟你说，那些牛眼看着就长起来了，就跟吹气球似的！你甚至还没来得及认清楚它们……”

“你有点儿夸张了吧？”

“我？夸张？如果你见过我养的第一头吃添加剂的牛，你就不会这么说了！我喂它吃完的第二天，我看见它时，还自己琢磨：‘这个大东西是从哪儿跑出来的？’”

表弟突然伸了一下腿，踢到了我的背。

“好吧，好吧，可……那是禁止的！”主人反对，“你知道你冒了多大风险吗？”

卡斯东表弟站了起来，肯定是透过窗户往外望了望。他应该是往谷仓那边瞟了一眼，看了一眼那辆两马力的汽车，因为他接下来说了句话："你自己拿主意，我的马塞尔老表哥，如果你对你那辆汽车还满意的话……"

然后，很长时间都没人说话。卡斯东表弟穿上了鞋。我那时真害怕主人对这个方法不感兴趣。我怕这件事就这样完了，因为牛就是希望啊！是我伙食改善的保证啊！餐餐都是美食！白汁小牛肉，小牛腿，小牛排，牛腰子……一个一个浮现在我的眼前。啊！牛肉可以是化学的，哪怕是核能的都没问题，对于我来说都是一样的。不管怎么说，对于我的健康来说，它们比那些平时我的饭盆里的东西危险不到哪里去。

"确实很吸引人，"我的主人最后说，"跟我说说……"

远处的天空又有闪电划过。伴随着他们的说话声，我睡着了，梦见了一块柔软的垫子和一盘嵌着蔬菜的烤小牛肉。

第二章

了不起的母鸡若赛特

“去,快!出去!”

是加布里埃尔的声音把我吵醒了,打断了我的美梦。她不像主人那样喜欢我。

我没有反抗,因为跟她没什么道理可讲,她会用扫帚打我的。我出去了。卡斯东表弟的汽车已经不在院子

里了。主人正跟他的儿子在鸡窝后面说话。

“好像有个非常棒的东西，”他跟儿子说，“只要一点点化学产品，牛就会很快长起来，然后，嘿，一下子，我们就可以有一辆梅赛德斯-奔驰了！”

他的手里挥舞着一个小瓶子，一定就是化学产品了。我很高兴卡斯东表弟说服了主人。啊！我已经闻到了烤小肋排的味道。

“可是我们……”他的儿子嘟囔着说，“我们没有牛啊……”

“是啊，我知道，这个有点儿复杂，”主人抱怨着，“但是无论如何，这个东西可是够贵的，我也不想一下子就把自己搞得那么紧张，我要先试验一下。如果这东西可以让一头牛吹气似的长起来，那么它就应该可以让任何动物都很快长大……”

他们都看了看我。我可不喜欢他们看我的样子。

“雷克斯？”他的儿子问道。

“不行！”主人气呼呼地说，“你想让大家尝尝它的味道吗？你想吃狗肉吗？啊？想吃化学的还是天然的？”

这时候，母鸡若赛特正好走了过来。我真高兴。它静悄悄地穿过院子，不时这里啄一下，那里啄一下。它从他们的腿间穿过来又穿过去，一点儿都没在意。

“看，看！”主人指着它说。

“母鸡?”他的儿子惊讶地问。

“我们又有什么损失呢?它就是会下个蛋罢了!每星期就下两个蛋,还不够买谷子给它吃呢!”

确实是这样,但是这样说并不公平。作为一个下蛋的母鸡,若赛特确实不够出色,它从年轻时就是这样,但是在整个鸡窝里,若赛特绝对是个人物。它总是热心助人,总是情绪饱满,高高兴兴地为别的母鸡照顾小鸡,让所有人都鼓起勇气面对生活。我永远都不会忘记它那次令人鼓舞的发言,那次因为主人举办的餐会用两只鸭子做了菜,若赛特知道以后说:“这道菜非常美味,人们谈论了很长时间。”它一次次地对这两只鸭子的家人们说:

“客人们会记住它们的，我向你们保证……”

当然，这都是它自己想象的。但若赛特就是这样，它慷慨，为了安慰别人，随时准备献出自己的一切。

“你确信那些东西用在母鸡身上也会有效吗？”主人的儿子有点儿担心。

“你看，牛比鸡要大五十倍，如果它对牛有效，那么用在鸡的身上效果应该要好五十倍。今天晚上，我们就喂若赛特吃一些膨胀剂！”

用在鸡身上的效果要好五十倍，这是数学呀，主人之所以成为主人，并不是没有原因的。

第三章

一点儿化学产品

我想，主人一定是不想跟他的女儿吵架，所以才要等到晚上。

他的女儿是个环保主义者，这让我的主人总是很烦恼。一家人一起吃的每顿饭都是以争论结束，哪怕他们吃的菜再好吃，也不能改变这种情况。即便是在冬天，他

的女儿也会不停地谈论地球变暖的问题。她说城市里成千上万的汽车排放的废气会要了居住在那里的人类的命(她没说废气对于狗来说是不是也同样有危害)。而最重要的是,她会责怪主人在田地里使用化学肥料,因为那样会污染土壤。

“那你觉得我的那些玉米要怎么长大,啊?”主人总会大叫起来,“用维戴尔的温泉水吗?我们真是受够了听你那个不知所谓的什么层了!”

“含水层,含——水——层。”他的女儿嘲笑他,“我们就等着看看到地下水都被污染了的时候,你还怎么发脾气,到时候守着你的垃圾玉米,你的表情一定会很有意思的。”

“怎么能用这种语气跟爸爸说话呢!”主人的妻子说话了,“在那之前,你可还是得以这些垃圾玉米为食。”

回答得太好了,因为主人的女儿可以算是一个小胖姑娘,而且她盘子里的食物可是很诱人的,尤其是跟我的盆子里那些东西一比,更显得美味了,而我可是从来都不反对使用化肥的。

除了这个,我对主人的女儿其实并没有更多的了解。她大部分时间都待在自己的屋里,她的房间在楼上,我不能上去。猫说过,她会好几个小时一动不动地躺在床上看书,还会听听音乐。

不过这个我早就知道了，因为主人经常大吼："你是想让我把你那蹩脚的小提琴砸碎了，是不是？我真是受够这野蛮人的音乐了！这屋里是谁说了算啊，啊？！"

当然，肯定是我的主人说了算。不过，那天晚上，他还是等到女儿睡着以后才去了鸡窝。

他抓住了若赛特，把它夹在了自己的胳膊底下，然

后掰开它的嘴，直接把化学产品倒进了它的喉咙里。

若赛特很生气。它扑棱着反抗了会儿，但是当它看到露丝的小鸡被吓得惊慌失措的时候，它强迫自己冷静下来，不让小鸡们受到更大的惊吓。若赛特就是这样，总是先想到别人，它是一只善良的母鸡。

不过鸡窝里还是喧闹了起来，所以，当主人看到女儿房间的窗户亮起来的时候，他一边轻声抱怨着，一边很快地走进了鸡窝："过来，雷克斯，别让我女儿看到了。她连使用阿司匹林都反对，肯定也不会赞成咱们使用膨胀剂的，过来，我的小狗……"

我还是待在了门口靠外一点儿的地方，这里空气比较清新；暴风雨还是没有到来，可能已经移动到别的农场上空，去威胁比佐耶家或者若弗兰家的农场去了，这两家农场都在远处，在森林后面。

第四章

马塞尔！小鸡

我是被尖叫声吵醒的。

我并不习惯早起，那天我睡得很沉。我梦见自己在一片长着肋排的田野里四处溜达，这些肋排像玉米那样生长，只需要轻轻摘下来就可以大嚼一顿。

“马塞尔！马赛……尔！”

主人的妻子在院子里大叫。

“马赛……尔！”

主人下来了，裤子穿在睡衣外面，手上还抓着他的枪。他往枪里上了两发子弹，不过根本没这个必要。

“马赛……尔！我的小鸡！我活蹦乱跳的小鸡呀！”

主人的妻子加布里埃尔哭了，两只手挡着脸呜咽着。

在农场里，饲养小鸡是她的工作，她自己管小鸡叫“改善生活的好东西”。她疼爱它们，宠着它们，养大后在集市上把它们卖掉。可是，下一次集市的时候，我们得承认，她确实没什么可以卖的东西了。

被开膛破肚的，被咬断喉咙的，被直接杀死的……小鸡们被杀死的样子各不相同，什么姿势的都有。

“天哪！”我的主人说，“这是一场凡尔登！”

凡尔登，这是一场残酷战争中一次残酷战役的名字，我的曾曾曾祖父的主人曾经参加过。

我不想反对我的主人，但是，我觉得，这更像是两年以前发生在甜菜地后面那条大路——就是他们叫作国道的那条路上的车祸。

我的主人看着这些浸在一摊摊血水中的带着黄色羽毛的小东西。家禽们都吵嚷着谁是凶手，努瓦罗和贝贝特都叫得像要死了似的。场面非常混乱，简直难以用语言来形容。

主人大喊道：“如果让我找到了这个坏蛋，我会让他后悔来到这个世界上！”

在一片干巴巴的声音中，为了起到威慑敌人的作用，主人已经挎上了自己的枪。

“喔，马塞……尔，”这是加布里埃尔在哀号，“求求你，先把这些都打扫干净吧，我，我不行了……”

鸭子们嘎嘎的叫声几乎把她的哭声都掩盖住了。老鸭子居斯塔夫的声音最大，它嚷嚷着要报仇。

主人已经拿起了一只水桶，不过他先得把家禽都轰走。那场面就跟大路上那场车祸之后警察驱散看热闹的人是一样的。主人的儿子也过来帮忙。

“去，去，走开，别在这儿待着了！”

“这些也是我们的孩子啊！”老母鸡露丝抗议了。

最后，是母鸡若赛特让大家都冷静了下来，主人的儿子虽然跑来跑去动作不小，可是并没有起到什么作用。

“过来，我的朋友们，过来……”

“这是人类干的！”露丝继续吵吵着。

若赛特把它带到了一旁，动作温柔，但是神情很坚决。

“你妈妈吓坏了。”主人小声说。

“我看到了，”主人的儿子说，“她还在哭着呢。得承认这个场面可不太好看啊，更何况还给我们找麻烦了。对了，你给那只母鸡吃那种化学产品了吗？怎么样？那只母鸡在哪儿？我好像刚刚在这儿看见它来着……”

主人的儿子四处看，想找到若赛特。它正在院子那头呢。它真是了不起，正忙着安慰那些母鸡们呢。

“它还没像吹气似的长起来呢。”儿子看到后说。

“在批评之前要先考虑清楚，”主人反驳说，“你想什么呢？我的卡斯东表弟是我唯一的妈妈的唯一的姐姐的唯一的儿子，你觉得他会骗我吗？”

但儿子并不相信主人的话。

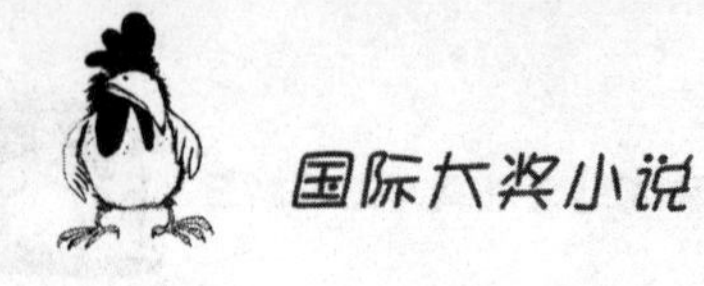

第五章

农场杀手

一整天他们都在不停地谈论这件事。他们将所有人都挨个儿怀疑了一遍，所有动物，所有人类……甚至还有我！

"也许是石貂干的？"主人的儿子猜测。

"可能，"主人回答，"它们是些专门做坏事的小动

物。毫无理由地杀死别的动物，这确实是它们的风格……”

儿子很得意，但是加布里埃尔叹息道：“为什么是我的这些小鸡呢，它们就这样跟着一只石貂在院子中间走吗？为什么发生了这些事之后狗也没叫呢？”

“就是啊，”主人嘟囔着，“它们是不太机灵，可是也没那么笨啊！”

“马塞尔！”加布里埃尔吸了吸鼻子，紧紧地攥着手绢，“别告诉我是我们养的某一种动物干出了这样的事情！”

“也许是狐狸干的？”儿子接着说，“狐狸不像石貂那样残忍，但是比石貂更狡猾……”

“不会是你养的狗吗？”主人的女儿突然说。

“胡说八道！”主人大声抗议。

可是他并不能阻止大家都默默地看着我。我的意思是，那是一种压抑的安静。

主人的儿子接着一个个地把怀疑对象的名字说了出来，这样就可以知道大家到底是怎么想的了：“费尔南呢……”“会不会是小路易呢？”当他说到“比佐耶家农场的儒勒是不是……”的时候，我低声嘟囔，然后大声叫着，露出了我尖尖的牙齿。

“比佐耶家的儒勒！”主人的妻子突然睁开眼睛，重复

了一遍。

我继续小声叫着。这样有点儿不厚道，但是如果我说："是的，是的，我看见他来着，就是他，就是儒勒。"那样不是更卑鄙吗？

这样，至少，他们不再怀疑我了。

"看吧！"主人的儿子叫道，"儒勒！我一直就说，他就是嫉妒我们！"

"喂，冷静点儿，"主人的女儿反驳说，"你们觉得自己有一点点的证据去怀疑儒勒吗，这只笨狗叫了吗？"

比佐耶家的儒勒是她的朋友，也是一个环保主义者，也爱听小提琴演奏的音乐。

主人很快地拿起了自己的枪，但他的女儿在门边拦住了他。

“你冷静一点儿，马塞尔，”主人的妻子大叫起来，“这样做是不会有什么好结果的。”

主人推开了他的女儿，钻进了自己的那辆两马力的汽车里，发动了车子，不过没有像一阵风似的跑走，因为那辆车动力不够，但速度也算是快的了。

主人的女儿大叫着，他的妻子也大叫着，他的儿子冲着电话跑过去。过了一会儿主人就回来了，因为比佐耶家就在附近。他没有找到儒勒，那个家伙已经走了两个星期了，他说过，他要去首都巴黎。

主人瞟了我一眼，眼神不善，这实在是太稀奇了，因为我确实是他最喜欢的一只狗，我觉得现在应该去院子里溜一圈，好把这件事忘掉。

努瓦罗和贝贝特已经开始到处搜索了。

“啊，你来啦！”贝贝特跟我打了个招呼，“你闻到什么异常了吗？发现什么迹象没有？”

我什么也没有发现，也不想去找。我并不想做一只稽查犬，这并不是因为我不再年轻了，而是我从来就没有过要去侦察这种想法。

努瓦罗骄傲地向我宣布：“好吧，我们，我们也许不是主人的小宝贝，但是，因为我们从来没有像某些狗一样只会消磨时间，懒洋洋地躺在自己满满的食盆前面，所以，我们已经找到了一些东西……”

我刚想跟它说，我的食盆肯定是让它产生错觉了，不过，它马上跟贝贝特交换了一个眼神，就接着以一种不屑的语气说：“如果你方便的话，那就来看看吧！”我跟在它们后面走着，并没有什么热情，它们经常搞出一些愚蠢的闹剧。但是，当我认出邻居家的猫被开膛破肚地挂在篱笆上的时候，我的腿开始哆嗦起来了。

“真是糟糕的一天，嗯？”贝贝特冷笑着说。

“喂，老爷子，至少，你的心脏还够顽强吧？”另一个扑哧一声笑了出来。

它们居然敢嘲笑主人的狗，我不禁感到很恼火。我决定利用自己现在所处的环境，跟主人和解算了。我用尽全身的力气大声叫起来。

“喂，你现在这么做是不是想让人觉得这是你发现

的,嗯?”贝贝特有点儿担心。

不过,主人已经跑着过来了。

“你怎么了,我的小狗狗?”

他叫我“我的小狗狗”,这是个好现象。但是不需要我回答了,他已经亲眼目睹了一切。

“我的天啊!可是,这个,这不是咱们的猫啊!”

“这是邻居家的猫,”在他之后赶过来的儿子说,“真是太残忍了!你觉得这个凶手跟杀死小鸡的是同一个吗?”

“有可能……”我的主人咕哝着说,“这些不是普通的犯罪,我的孩子,这么血腥!我从来没见过这样的事

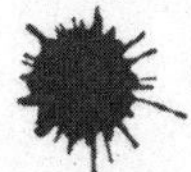

情。”那两只小狗已经出了风头。它们想引起主人的注意。努瓦罗一边低声吠叫，一边龇着牙，贝贝特则开始一边东闻闻西嗅嗅，一边用力摇着尾巴，让大家都看到是它找到了一条线索。主人突然用力朝着它的屁股踹了一脚，贝贝特赶紧跑开了。

“都滚开！今天晚上再好好儿干活儿！”

“确实，”他的儿子接着说，“我们得看看，养着这两只狗到底有什么用！”

两只年轻的狗跑开了，远远地看着我，但是，我一步都没有走开，主人说的是事实。

他们把死了的猫从篱笆上弄了下来，那是一只有灵活的爪子的棕红色的猫。虽说我确实不了解这只猫，也就是刚刚认识而已，但是这么年轻就死了，真是太可惜了。

“去跟邻居说一声，”主人跟他的儿子说，“还要告诉他们，我们的小鸡也遇到了同样的事情，我可不想让他们觉得咱们有什么企图。”

他的儿子并没急着走。

“可是，如果他们问我是谁干的，我怎么跟他们说？”

主人狂怒，突然一下子转过身来说：

“告诉他们，农场里有一个杀手！”

第六章

比佐耶家的波斯卡尔

我想，一切事情都不会再跟以前一样了，在这个凶杀之日以后，农场上的生活不会再是以前的样子。

可是，想象一下，我，雷克斯，在这个家庭里生活了十五年，想象一下，我，主人的狗，要像那两只年轻的狗一样睡在屋子外面，不，不要……

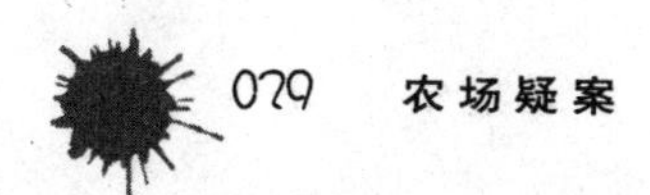

“我越来越觉得这是一只狐狸干的……”主人的儿子在吃晚饭的时候说。

“别净说蠢话！”主人打断了他，“你见过一只狐狸杀死一只猫以后挂在篱笆上？你见过狐狸杀死五十只小鸡以后一只也不吃？”

“只有人类才能干出这么恶心的事情！”主人的女儿突然说。

然后他们就开始吵架。

真是烦人，我已经困了，我晚上总是没什么精神。唯一的好处就是，主人的儿子为了让妹妹住嘴，一拳捶在桌子上的时候，把自己的盘子弄翻了，我就可以把掉在地上的食物都吃掉了。一小块火腿，一些小扁豆，可惜里面只有两三片洋葱，还有一小点点、但是非常美味的熏过的肥猪肉。

主人采取了一些措施。

就像一个将军一样，他制订了一个作战计划。他和儿子会去巡逻，而农场的三个入口，他希望每个入口晚上都有一只狗把守，以便敌人入侵的时候可以采取行动。我不太会算数，可是我还是很快就弄明白了，三个入口，除了努瓦罗和贝贝特，还有一个入口留给第三只狗，那就是我。

我震惊得大叫。我的主人和蔼地拍了拍我的头，对我说："是的，我的雷克斯，我需要你，我把你放在最重要的入口。因为国道的关系，那里是行人车辆最多的地方。"

他承认我的价值，这很好，不过还有一件事他不能忘记，就是去跟那两只年轻的狗再重复一遍这些话，它们应该得到点儿教训。

主人带我去门口的时候天还没黑，他的儿子带着另外两只狗走了。

“你把他们拴在那儿，”主人告诉他，“然后快点儿回来，第一圈巡逻你先去。拿着，别忘了给母鸡喂点儿化学品！”

主人在那两只狗面前没说要把我也拴上，这让我非常高兴。这是一个信任的问题。

唯一的问题是，我在屋子外面睡觉总是非常恐惧。地面太硬了，一点儿都不舒服，而且夏天还会有小虫子。至少，所有这些稀奇古怪的噪音，可以使我一直保持清醒的状态。

什么也没有。

我什么都没看到。

除了波斯卡尔——比佐耶农场的一只狗，不过它不算。从儒勒的爸爸的爸爸在的时候它就已经在了，而且，不管怎么说，它没牙了。不，波斯卡尔只是来探听消息的。

“好像刚才你们家有人争吵来着？你们损失了很多东西吗？”

“五十只小鸡，所有在外面的小鸡都死了。”

“好家伙！这可够受的……不过，让人感到欣慰的是，我们终于摆脱掉那只猫了！你有怀疑对象了吗？”

我不知道“怀疑对象”是什么东西，但是我可不想在比佐耶家的波斯卡尔面前表现得像个傻瓜一样，它们家

的农场可没有三十公顷。所以，我没有回答它的问题。

“你觉得这件事还会继续吗？”

“主人觉得会。”我干巴巴地回答了一句，“否则我也不会在这里了。”

波斯卡尔非常兴奋，它宣布：“这么说，那是一个连环杀手！我打赌，你肯定不知道连环杀手是什么！你们家没有卫星天线，你们！你们连电视都没有！”

“谁说的，我们有电视！”我反驳说，“我们家比你们家有电视的时间还早呢！”

看你还有什么可说的！

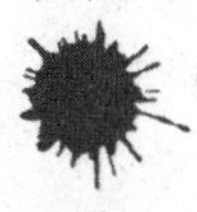

波斯卡尔冷笑了一下，它的大胡子颤抖着。

“对，可是，你们没有卫星电视啊。连环杀手，侦探电影里可多了，在那个总是自己一个人说话的家伙，就是那个播新闻的家伙讲的故事里也有很多。那是一些为了找乐子杀人的人，除非被抓，否则他们不会停手的。”

虽然没有表现出来，但是我确实感到非常忧虑。如果这些不是波斯卡尔杜撰的话，如果凶手真的不停手的话，那我还要在屋子外面度过多少个夜晚啊？

“我要去找找贝贝特，你看到它了吗？”波斯卡尔问我，它已经明白了，我再不会跟它多说什么。

“它在另外一个门口呢，在冲着若弗兰家农场那边。主人把它拴在那边了，因为那里更容易看守，那边根本就没有行人。”波斯卡尔一边冷笑着，一边跑远了。真不知道有什么可笑的。

一个人也没有，甚至连一只夜鸟都没有，到处都是黑的。远处，只有谷仓的屋顶依稀可见。从国道上根本就看不到屋子。笨蛋波斯卡尔肯定是在毫无缘由地冷笑，它只是为了让我恼火罢了。一直等到黎明的时候，主人才过来找我。他什么也没跟我说，只是吹了声口哨。在院子里，我遇到了另外两只狗。从它们可怜兮兮的脸上我就知道了，它们肯定也没有什么收获。这两个毛头小伙子一定想过要把凶手当场抓住，好成为主人最喜欢的

狗,取代我的位置。

“白白守了一个晚上。”主人松了口气。

“我要去睡觉了。”他的儿子说。

但是,就在这个时候,谷仓那边传来了非常大的声响。我们全都快速向那边跑去,人,还有狗。

若赛特从屋顶掉了下来,头朝下落在了拖拉机上。看上去它并没有受伤,只是毛都立起来了,乱糟糟的。主人的儿子抓住了它:“走,嘿!回鸡窝去吧!不过,它在那儿干什么呢?公鸡还没开始打鸣呢!”

“真是,”主人接着说,“希望不是那些化学产品让它变成这样疯疯癫癫的!”

他看了看已经升起来的太阳。

“不过,那个公鸡怎么还没打鸣呢?这个农场真是乱套了!”

他把若赛特从儿子的手里接了过来。他握着它的翅膀,没有对它的年龄表示出一点儿尊重。主人,他是主人,但是像这样对待一只五岁的母鸡,不管它还下不下蛋,都让我非常震惊。他迈着大步向鸡窝走去,我们都跟着他——狗,他的儿子,甚至还有猫。猫到处炫耀自己是唯一可以进入主人卧室的动物,这个懒东西整天觉得自己很重要,现在也不得不出了房间来到院子里,因为一切事件都在这里发生，现在，这里就是犯罪现场。

主人为了把若赛特扔到鸡窝里，做了一个非常大的动作，但是，他的手中抓着若赛特，伸直了胳膊，塑像般停在了空中，一动不动。

“我的……我的公鸡……”主人嘟囔了两句。

然后他就晕过去了。

我怎么也叫不醒他。我不停地舔他——脸，手，脖子。我在他的耳边用尽力气大叫了几声，终于把他叫醒了。

那两只年轻的狗笑了。

“你也不觉得羞耻，你，”努瓦罗对贝贝特说，“作为一个像懦弱的女人那样倒在一堆苹果里的农场主最宠爱的狗，甚至可以说是他的小宝贝，你羞不羞啊？”

如果不是因为它们确实比我强壮太多，那肯定就有它们好看的，这两个家伙！

公鸡并没有离开它栖息的横梁，而它的头已经离开了它的身体。

就好像还可以把它的头给它粘上似的，主人的儿子疯狂地在稻草里寻找着。

“可是，”他发着牢骚，“一个公鸡头，也不能这样就找不到了呀！”

“那就去了解一下吧……”努瓦罗开着玩笑。

真为努瓦罗的屁股庆幸，这要感谢主人的儿子听不懂狗的话。

第七章

主人的枪

主人已经掌控了全局。

他打了无数通电话，过了一会儿，我就听到开始有汽车驶进院子，轮胎压在铺路石上的声音。然后，不停地有汽车开进来。附近所有农场的主人们都开车过来了，他们把汽车在院子里停了一圈。鸡鸭吓得到处乱跑，那

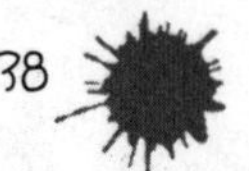

些农场主们都从车里跳了下来。比佐耶农场的主人保罗拿过来的枪比别的农场主都多，他的腰上围着一个巨大的子弹夹。我的主人直冲着他走了过去。

“儒勒没有记恨我，对不对？”我的主人跟他说，“我也不知道自己是怎么了，要去指责你的儿子……这些事真是让我晕了头。”

“没有记恨。”保罗说。

他正了正自己腰上的子弹夹，然后打开汽车的后备厢，他的狗波斯卡尔像个小伙子一样从里面蹦了出来。波斯卡尔兴奋得像个小狗崽似的，紧贴在他主人的腿

边。旁边，其他的狗也都这样紧贴在自己的主人腿边，它们的主人则都围在我的主人身边。波斯卡尔神气活现地说：“你都看见了吗，雷克斯？你们都看见了吗，小伙子们？咱们都来啦！就跟太古时代一样！”

它说的是以前的狩猎大会，不过，我并没有参加过。

“你看见我主人拿的那些枪了吗？说啊，看见了吗？”它不停地尖声叫着，“这可不是在开玩笑，他真的会开枪杀人的！我跟你们说吧，这就是战争！”

“这也许真是战争，”努瓦罗反驳道，“但是，可别以为会让某些人，甚至都不是这里的人来指挥！”

“说得好！”贝贝特大声说，“可别忘了你们现在是在哪儿！”

波斯卡尔和另外两只我不认识的狗轻蔑地打量着它。

“我们还真是不太知道我们这是在哪儿，是不是，伙计们？”波斯卡尔咬着牙说，“我们只知道现在在一个没能耐自己解决遇到的麻烦，只能向邻居求救的农场里……”

贝贝特被反驳得哑口无言，恨不得冲上去咬它。

“走吧！”我的主人说，“好，我们商量好了，先仔细搜索东边。”所有的狗都开始激动起来。

人们开始仔细搜索。持续搜索进行了好几个小时，搜索范围从比佐耶农场的边界一直到公路，从若弗兰家的田地边上一直到合作社的田地边上。我们搜索了灌木丛，检查了排水渠。肯定还不到中午，因为我们还能看到自己的影子斜在身边，但是我们已经都开始怀疑时间是不是已经过去很久了。连波斯卡尔都慢慢地没有干劲了，它开始躲开我的视线。然后，在进入小树林里的时候，它开始狂叫，而且不停地原地打转。

"我的狗闻到了什么东西。快跑，波斯卡尔，去找找，找找！"比佐耶农场的保罗大喊。

整个狗群都跟着波斯卡尔，主人们跟在狗群后面。

"围成一圈，围成一圈！"波斯卡尔凶狠地命令我们，"当心，我提醒你们，我们找的可是个杀手！"

它把自己当成了队长。我们所有人都觉得我们终于找到了一条线索，所有人。也正因为这样，当波斯卡尔发现自己是多么可笑的时候，一定非常尴尬。

当它看到那只田鼠，那只已经腐烂的，肯定已经在一堆枯叶下埋了好几天的田鼠时，它小声地叫了一下。

"哦喔！"努瓦罗叫起来，"当心！保持队形，围成一圈，这是个杀手！"

"哈，"一只我不认识的年轻的大狗扑哧一声笑了出来，"跟伟大的波斯卡尔在一起，我们无所畏惧！"

"啊，咱们请它们过来营救真是做对了，这些'邻居

们’，对不对，小波波？”连贝贝特都冷笑着说。

确实，我不是非常喜欢这只比佐耶农场的狗，但是现在连我都为它觉得难堪。

我们又继续搜寻了一会儿，但是已经跟开始时不一样了。年轻的狗还在继续嘲笑着，而年纪大的狗则在嘟囔着它们不懂得尊重长辈。我没有加入它们之中，那可不是一只主人的狗应该做的事情。我们走得越来越远，那些男人们的声音也越来越大了。

“咱们是在浪费时间，”有人低声抱怨着，“这并不是一个外来者，这个凶手，马塞尔……也不是一只野生动物，否则这些狗一定会发现什么线索的。”我就走在主人

旁边，我能够感觉到他开始烦躁不安，开始像跟他女儿说话时那样，轻轻拍打着自己的大腿。

“坦白说说你是怎么想的，”主人反驳他，“你的意思是不是这是我家里的什么人干的，嗯？”

“我同意雷昂的观点，”比佐耶家的保罗紧接着说，“马塞尔，你知道，我并不是那种会轻易去怀疑别人的人，但是也觉得这实在是太可疑了……”

主人又开始用手拍打自己的腿，他的儿子也注意到了。

“爸爸……”

“什么，爸爸？”

我觉得他的儿子不应该干预他，主人一定会冲着他大吼，就像是拖拉机出故障或者那辆两马力汽车不动了的时候那样。但是主人只是耸了耸肩。

“咱们回去。”

在我听到尖叫声的时候，离农场还很远，远得根本还看不太清。主人的妻子冲着我们跑了过来。

“马塞尔！马塞尔！”她大叫着。

她踉跄地跑着，她穿着的大裙子边上已经散开了，会不时绊她一下。她惊魂未定，端着橘红色的锅的手颤抖个不停。

“马塞尔！马塞尔！在我做的汤里……”

她的儿子赶快跑过去帮她。他拿着锅柄把锅接了过来，看了看里面，突然手一松……

锅子在地上滚了几圈。汤都洒了出来，溅了那些冲过去想看个究竟的年轻的狗们一身。汤洒得到处都是，很香，我不知道加布里埃尔为什么尖叫成这个样子。汤好像并没有做坏，连一点儿煳味都没有。不，确实，没有什么值得她这么尖叫，我非常愿意拿我的食物跟这锅汤交换一下。主人把妻子抱在了怀里，好让她镇定下来。自从她的妈妈去世以后，我就再也没有见过这样的情景了。

“冷静，加布里埃尔，冷静一下……”

但是她，她不停地发抖，说话结结巴巴：“我……我

只是要……把昨天晚上的汤拿出来热一下，昨……昨天的汤，拿……拿汤……热……热一下……”

“没事，加布里埃尔，没事，慢慢说……”主人安慰她，“那你的汤怎样了呢？”

“这个！”主人的妻子尖叫道。

在她的手指着的那一摊汤水里，我什么特别的东西也没看见，我站得太远了。可能她放的洋葱比平时还要多，那可真是会坏了一锅好汤。人群里开始响起大家小声嘟囔的声音，狗群在低吼，贝贝特吠叫了起来：“天啊，公鸡的头跟洋葱在一起！”

第八章

里塔

比佐耶家的保罗给我们留下了波斯卡尔，若弗兰家的阿尔贝尔给我们留下了他们最好的狩猎犬，那是一只母犬。

“太棒了，”贝贝特做着鬼脸说，“跟波斯卡尔在一起，就算那个杀手今天晚上还来攻击我们，我们也没什

么好怕的了！”

“是啊，”努瓦罗接着说，“田鼠们只能在那儿待着了！”

但是，若弗兰家的狗说话了：“又开始了，两个傻蛋，波斯卡尔也许是没有嗅觉了，可是你们，两个小丑，你们后来也什么都没有找到啊。”

两个小伙子一下子都不出声了。我们得明白，若弗兰家的里塔长着尖尖的牙齿，可以让任何人都闭上嘴，包括贝贝特。

太阳还在鸡窝顶上的时候，主人的儿子就给我们送来了吃的东西，这种情况可是很少见的。而且送来的东西比平时好多了，不过贝贝特说这可能代替晚上的饭，让我的好心情打了个折扣。

“不会的，”里塔解释说，“我们打猎的时候，在若弗兰家也一样，我们也是要吃两次饭的……”

这让我接下来的好几个小时都坐立不安。如果这是一顿加餐，那就太棒了，如果这是“代替”的，我就太失望了。

另外一个不方便的地方就是，主人的儿子并没有给我们用不同的食盆装食物，只是给我们五个拿来了两大盆的食物，以那两个小伙子狼吞虎咽的速度，我真是觉

得太不公平了。所以，一整个下午，我都没有到过离厨房的门太远的地方，以便一旦还有食物的话可以占到一个有利的位置。

另外几只狗围着屋子搜索了一圈，然后回来了。

“我们再围着农场转一大圈吧？”里塔突然提议说。

“不，不……”

“主人的狗累了吗？”贝贝特冷笑着说，“主人的狗吃得太多了吧？”

“这样跑来跑去什么作用也没有。”我回答说，“现在，

我要思考一下……”为了留在离厨房门比较近的地方，我开始胡说八道了。

“看啊！这可是新鲜事！”努瓦罗一边往远处跑一边说，“雷克斯现在要思考一下了！走，贝贝特，咱们走！”

它们跑开了，远远的，后面跟着波斯卡尔和里塔，它们的步子就稳重多了。

最终，我自己待在了离厨房门只有两步远的地方。

太阳落到谷仓后面去了，真是太好了。

不知道为什么，我真的开始思考起来了，虽然这并不是我一贯的风格。

我想，在这三起罪行中，有一些共同点。它们都发生在黎明之前，都发生在离屋子不到一百米的地方，而且，每一次都是一次真正的杀戮，一次残忍的罪行。我想，只要我找到了“为什么”，也就能找到是“谁”了。

好，我们先假设有人想要杀死比佐耶家的猫，这实在是一件非常正常的事情，因为那是一个暴力分子……公鸡，也是一样，我知道它曾经招惹过别人，可是，那些小鸡呢？它们是无害的！它们没有敌人！

重来。比佐耶家的猫，没问题，谁都可能想杀死它，因为那是一只猫。公鸡，就不那么明显了。我知道它曾经跟母鸡有过口角，它嫉妒它们，但是，即便是盛怒之下的露丝也没有强壮到可以把它的头砍下来呀。公鸡一定惹

恼了比母鸡更加强壮的东西，一个不愿意早晨被吵起来的东西……但是，小鸡们呢？我不知道，真的不知道，它们那么小，那么弱。还有，我记得那些小鸡是第一起罪行里的受害者……如果罪犯只是想用这些没什么力气反抗的小鸡来练练手呢？我突然觉得很冷，毛都竖起来了，我知道，我离真相不远了。是的，就是这样，罪犯非常贪睡，非常懒惰，胆怯而且残忍，可以攻击小鸡，自命不凡，讨厌在附近看到别的猫，非常灵活，可以在篱笆上面保

持平衡，可以进到屋子里，这样，把公鸡的头扔进橘红色的锅里就不成问题了……就在我马上就要知道凶手是谁的时候，我听到背后传来了它虚伪的叫声：

“喂，雷克斯，咱们懒洋洋地躺会儿啊。”

它在我旁边躺了下来。然后，在还有阳光照射的窗台上，它慢慢地梳理起了自己的毛……

第九章

太可怕了！

我觉得自己的血都凝固了，我把身体紧紧贴在院子里的石板地上。

“喂，雷克斯，你聋了吗？”

我觉得这里就跟沙漠一样，只有我和这只猫。主人在田里，他的儿子和女儿应该在屋子里，加布里埃尔把

鸡窝里所有家禽都引到那边去了，在给它们喂麦子。我远远地就可以听见她喊："小东西，小东西，小东西……"所以，当听到主人的儿子用力打开厨房门，放下一个大盆的声音时，我一下就蹦了起来，这可不是因为那些食物闻起来太香了。

我大声叫了起来，非常大声。

"贝贝特！里塔！波斯卡尔！又来了一盆吃的东西！"

它们很快就跑过来了，我不能跟它们说，猫可以听到我的声音。

"你叫我们回来吃东西？"贝贝特很吃惊，"你太好了，雷克斯……我简直不敢相信！"

"我也不敢相信。"努瓦罗的嘴里已经满了，在再次把贪婪的头扎进食物盆里之前，它说了一句话。

我感觉不太好，也不觉得饿了。太奇怪了，在我身上从来没有发生过这样的事情。

我在想怎么才能离那只猫远一点儿，而不会引起它的怀疑。最后倒是它打着哈欠进到屋子里去了，神情很是漠然。

"快点儿，过来，我得跟你们说说！"我一边快速向谷仓跑去，一边对它们说。

"喂，我还没吃完呢。"努瓦罗抗议了。

里塔也低声埋怨着。

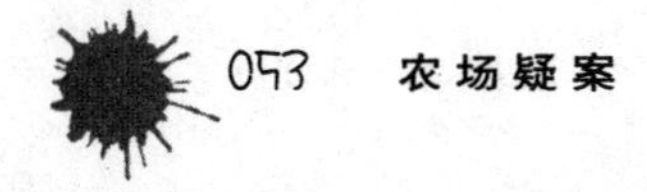

当我们都聚在谷仓最里面的稻草堆后面的时候，我把一切都告诉了它们。波斯卡尔不停地点头表示同意，但是贝贝特反驳说："胡说八道！完全跟戏剧一样傻！猫！它整天都在睡觉，它软得跟一团床单没什么两样！"

"你就是为了这个让我还没吃完晚餐就跑过来的？"努瓦罗生气了。

我不知道它们是哪儿出了毛病。幸好，里塔说："这也不是没有道理……"

然后，它瞟了那两个小伙子一眼说："还有，如果有别的怀疑对象……也不要不敢说……"

“好吧，好吧，”努瓦罗咕哝着，“就算真的是那只猫，我们又有什么办法呢？”

“我们一刻不停地跟着它！”波斯卡尔叫起来，“我们悄悄地监视它，在它作案的时候突然抓住它……成功！”

“成功……”贝贝特重复了一遍，还是有点儿怀疑。

正在这时，若赛特和居斯塔夫进来了。

“发生什么事情了？”若赛特问。

我们都能感觉到，它很担心，它的声音是颤抖的。

“我们看见你们都跑过来了。”鸭子居斯塔夫接着说。

笨蛋贝贝特，根本就管不住自己的嘴，也不怕把它们吓着：“雷克斯觉得凶手是那只猫……”

“那只猫！那只猫！”若赛特和居斯塔夫一边重复，一边害怕得全身发抖。

“别担心，先回到鸡窝里去，太晚了，”里塔冷静地说，“雷克斯和我，我们去屋子里看守，波斯卡尔守在厨房的门后面，一旦它从那里跑出来，你就抓住它，你们两个小伙子围着屋子巡逻。”

“喂！哦！为什么……”努瓦罗开始抗议了。但是它没敢说完。

这是一个很好的计划。居斯塔夫和若赛特冷静下来，并且承诺会保守秘密。唯一的问题就是如何让里塔进到屋子里面去。

我们两个都站在了厨房的门前面,然后开始挠门。主人手里拿着化学产品的小瓶子出来了。

“你怎么了,我的小狗狗?进来!”

里塔跟着我,但是我的主人一把就抓住了它的脖子。

“喂,不行!你在外边待着!”

里塔把脖子挣脱了出来,我则开始小声哼哼。我确实是觉得可以抓到我认为的罪犯,所以才会进行如此可笑的表演的。加布里埃尔从门洞里往外看了看,扑哧一声笑了出来:“我看你的狗是找了个小女朋友。”

“可能是,”主人也笑起来,“好吧,就让它进来吧,而且,也许它在若弗兰家的时候就是睡在屋里的呢。”

他朝屋子里看了一眼,肯定是为了确定他的女儿听不到他说话,然后接着说:“我要去看一下那只母鸡,我回来以后就把所有的门都关好。你把百叶窗关好,也不知道这件事怎么才会结束。”

那只猫在最大的一个沙发上,装出一副了不起的样子。我们两个在一起,确实感到更强大了。为了便于监视,我们躺在了离它几米远的地方。

刚才加布里埃尔暗示的话让我特别尴尬,我都不敢

看里塔了。它也感觉到了。

“没什么，雷克斯，人类总是比较粗俗的。”

我没怎么听懂它到底想说什么，但应该是好意。目不转睛地盯着那只猫并不是什么困难的事情，因为它根本就没从它的坐垫上移动一下。

“平时，它是睡在这里还是睡在楼上的房间里？”里塔小声问我。

“看情况……有时这个大懒虫也不敢上楼。”

“但愿它在这儿待着，这样的话我也安生点儿……”

就好像身上安着雷达似的，那只猫抻了抻脖子。慢慢地，它站了起来。它睁开了一只眼，然后又睁开了另一只，之后看着里塔。它自己原地转了一两圈，然后又团成了一团。

主人进来了，他走到厨房工作间里左看右看，但是并没有像加布里埃尔和他的儿子女儿们那样上楼去，他们应该已经在楼上睡了。他在一张沙发上坐了下来，腿上盖了一条毯子，把枪放在了膝盖上。他很快就睡着了。不一会儿，整个屋子里就只能听到他的呼噜声了。我使劲侧着耳朵，还是听到了外面的一些声响——说话的声音，肯定是那两个小伙子在吵嘴，时不时还能听到波斯卡尔呼吸的声音，它应该是站在门后面。

我一直抵抗着睡意。里塔看到我要睡着的时候，就用嘴轻轻碰了我一下，吓我一大跳。天越来越晚，我看到它也开始犯困了，于是没叫它，让它睡了。从早晨到现在，它消耗的精力太多了。

我在这儿，主人也在，猫在离我三米远的地方打着呼噜。在波斯卡尔像要死似的尖叫起来的时候，我是第一个跳起来的。我一下子冲到了门边，可是什么也做不了，而这一切就发生在这里，就在离我几厘米远的地方。我用尽全力大叫起来，波斯卡尔痛苦地呻吟着。

主人和里塔惊跳起来。主人一下子扑到门上，连他的枪都忘了，他一下就把门打开了，完全打开，波斯卡尔就倒在了他的脚下，奄奄一息。

我们无声地站着，最后，是沙发上的那只猫发出了一声尖叫：

“太可怕啦！”

第十章

不太蠢

我在田地里奔跑了很长时间，以排解掉在农场里所感受到的压力。人们已经把玉米秆砍掉了，剩在地里的一小截把我的身上，尤其是肚子和身体侧面都划伤了。我已经有好多年没有这样奔跑过了，我对运动并不在行。主人的儿子让他的妈妈和妹妹都待在楼上，不要下

楼到厨房来，主人也立刻给若弗兰家和比佐耶家打了电话。

他们过来领自己家的狗的时候已经是黎明了。比佐耶家的保罗把波斯卡尔的遗体放在了自己的汽车里，没说一句话就走了。那两只年轻的狗在四周尴尬地溜来溜去。

“我们当时什么也做不了，雷克斯，听到它的叫声的时候我们还在房子的另一头呢……”我甚至都没等里塔离开，就跑到了我能跑到的最远的地方。

我回去的时候，一切都恢复正常了，不过一切又显得那么奇怪。

主人的儿子重新装上了拖拉机的轮胎。加布里埃尔在喂鸡，但是嘴里没喊“哦，哦，小东西，小东西，小东西……”，那些家禽都在安静地啄食。主人正在劈柴。从楼下就可以听到他女儿在房间放的小提琴的音乐。是的，这里只能听到小提琴的声音和主人的斧子砍在木头上的干巴巴的声音，还有木头在石板上被劈成两半的声音。

“喂！”努瓦罗在谷仓的一个角上叫我，“嘿，雷克斯，过来……”

我犹豫了一下。如果是这两个小伙子干的呢？不管

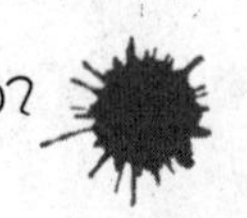

怎么说,昨天晚上,案发当时只有它们跟波斯卡尔单独待在一起,它们完全可以神不知鬼不觉地来那么一下。它们那么嫉妒我,完全可以实施这个计划:在农场里进行这样一场屠杀,然后让我——主人的狗的存在,变得非常可笑。我会在所有动物的面前失掉面子。这个主意倒不错,这样一来,主人就会觉得我太老了,是时候把我换掉了……

"喂,你快过来,啊?"努瓦罗又叫了一声。

我一边怀疑着,一边跟着它走,一直走到了收割机后面。

我发现大家都在那里:贝贝特,代表所有母鸡的若赛特,代表所有鸭子的居斯塔夫,甚至连那只猫,那只只能代表它自己的猫也在这里,幸好,农场里只有这么一只猫。我觉得现在它也不那么像罪犯了。

"一定要做点儿什么了,我们要保护我们自己,"居斯塔夫先开了个头,"否则,照这样下去,一个星期以后,我们就全都死了!想想可怜的波斯卡尔吧,我们要团结起来!"

"晚上大家可以集中在一起,"贝贝特建议,"这样就比较容易看守了,比如……在谷仓里……"

"啊,不行!不能在谷仓里!"那只猫抗议了,那样子很让人讨厌。

若赛特冲着我说道：

“雷克斯，你有什么好建议吗？你是主人的狗，我们都相信你。”我早就说过了，这是一只了不起的母鸡。

那两个小伙子，这次会议的伟大的组织者，急得直跺脚。

“你怎么说，雷克斯？”贝贝特冲我怪声怪气地说，“你

是慢慢思考呢,还是你根本就没主意?"

我没理它,只跟若赛特说:

"应该要相信我们的主人,他会保护我们的!"

"看吧,"努瓦罗嘲笑说,"我们的下场会跟那些小鸡一样!跟比佐耶家的猫一样!跟公鸡一样!跟波斯卡尔一样!"

我看都没看它一眼，接着说：

“我能肯定，现在主人一定在准备一个全新的计划。”

“他现在在准备柴火呢，没准备别的。”贝贝特大叫起来。

若赛特用很尊敬的语气对我说：

“雷克斯，对于我所代表的所有母鸡来说，你是我们信任的对象。”

鸭子居斯塔夫也表示了赞同。

“我也是。”那只猫很快地说，能够不在谷仓里过夜，不用离开它的楼上，它都高兴坏了。

贝贝特和努瓦罗表示了反对，但是我们在做出了这个英明的决定之后就散会了。

不过，在我回到主人身边，躺在他旁边睡觉的时候，我觉得有点儿滑稽。

我从来也没有怀疑过我的主人。作为农场上的狗，从我有记忆以来，我们从来没有遇到过这样的事情。但

是，我的这种信心，这种影响到若赛特和饲养棚里所有家禽的信心，让我觉得心里很沉重。如果谋杀继续发生的话，我就要负责任了。

主人的女儿把她房间的窗户打开了，院子里飘荡的都是小提琴的声音。我哼哼了几声，以此引起主人的注意。他的视线转到了我身上，但是根本就没有看我，他的眼神是空的。这让我安心了一些。如果主人不再看我，如果主人在听到小提琴的声音以后没有大吼，那么他就应该是在思考。

第十一章

变态的若赛特

我等了一晚上，等着他给我们发号施令。但是他的儿子问了他好几次：

“我们怎么办？”

主人回答：“呼……”或者根本就不回答。我想，如果晚上他把我派到冲着大路的大门口守着的话，我可能还

会高兴一点儿。

“去给母鸡喂一点儿化学产品，”主人跟他儿子说，“我太累了，我要睡了。”

“嗯……”他的儿子小声嘟哝，“那东西什么用都没有，母鸡根本就一点儿也没长大……”

“去给母鸡喂一点儿化学产品！”

我的主人不是在思考，他是变得脆弱了。

平时，他总是第一个起床，总是最后一个上床睡觉，但那一天晚上，他快要崩溃了。

幸好，贝贝特和努瓦罗没在这里看到这个场面，没看到一位会晕倒并且不去保护自己养的动物的主人，否则它们一定会说长道短的。当那只猫下楼来找奶喝的时候，我是真的有点儿烦躁了。是的，这位先生下来喝奶，喝鲜奶。

它慢悠悠地品尝，为了让我听得更清楚，它故意大声地舔着——哗啦，哗啦，哗啦……

它神情冷淡，一边捋着自己还挂着几滴奶的胡子，一边问我：

“有什么新消息吗？你的主人采取了什么措施？你还是要像贝贝特和努瓦罗那样在外面过夜吗？啊……我是多么庆幸自己不是一只狗啊！”我不能咬它，因为加布里埃尔正在一下下地抚摸着它，我能做的只是把它的碗打

翻,然后就跟着主人的儿子来到了鸡窝旁。

若赛特不再反抗了,顺从地张开嘴,把膨胀剂吃了下去。

我一直等到主人的儿子把它放下,小心地关上鸡窝门以后走远了。我把嘴贴在下面的两块木板之间,然后小声跟若赛特说:

“若赛特……我得跟你说说话。”

“好的,”若赛特立刻回答我,“但是不要在这里……”

其他的母鸡可能正在抻直了脖子看着它。

“等我五分钟。”若赛特接着说,我还在想,它在笼子里已经蜷缩成那样了,还能怎么办呢,接着就听到了鸡

窝顶上有一些响动。我往后退了一点儿，看到有一片瓦向旁边滑动了一点儿，若赛特的脑袋从那里冒了出来。为了让身子彻底从里面钻出来，它费了不少劲，然后它就一下子跳到了我的面前。

“一个字也别在这里说，嗯？”它小声跟我说，“过来，咱们走远一点儿。”

我们往远处走了几步，然后我就跟它把一切都说了。

“我……我怕我的……我怕主人不会采取措施保护你们了。对不起，我还要求你们相信他，我……”

“别怨自己，雷克斯。能做的你已经都做了。”

我很尴尬，一直低着头看着自己的爪子，就在这时，它突然尖叫了起来。

它开始不停地发抖。若赛特摇晃着自己的鸡冠子，就好像它再也不想让它长在自己的脑袋上似的。它的小眼睛望着我，好像在向我求救。然后我就知道它为什么吓成那个样子了：它的肉冠开始长大，长大！它发出了一声长长的呻吟声，然后就开始歪歪斜斜地跑起来。

若赛特只跑了几米远，就躲到了柴垛后面。我大喊着让它等着我，我马上过去帮它，但是它却用颤巍巍的声音回答我：

“别靠近我，雷克斯，我求求你了，在那儿待着别过来……”

我慢慢地靠近它，试着让它安心一点儿：

“冷静一点儿，若赛特，没事，没事……一定是化学产品的问题……”

“别再往前走了，我求求你了，”它向我哀求着，“别看我！别看我！你不要看我！”

“冷静，若赛特，我会大声叫，主人听到声音会过来的，他会照顾你……”

“别再往前走了！”

“冷静……”

但是，突然，木柴都飞了起来，我看到若赛特出现在了柴垛顶上。它的身体变得特别庞大，像个怪物一样。它的身体不停地痉挛，同时还在不断长大。它的脖子越来越长。我吓呆了。

我认识它，但是又不认识这样的它。若赛特变得非常可怕。它向我伸着巨大的脑袋，直勾勾地看着我。

“我建议你不要叫主人过来，”它尖叫着说，“我不讨厌你，雷克斯，所以，高高兴兴地从那儿溜走吧，如果你还想要你的皮的话！”

这是若赛特，可这又不是若赛特了。

“可是若赛特……”

“忘了若赛特！”它大吼，“再也没有若赛特了！”

它流着口水。

“完了，那个温柔的若赛特，那个会帮助别的母鸡照顾小鸡，自己一个孩子也没有的若赛特不见了，那个会安慰所有人的可爱的若赛特不见了！完了，那个体贴的若赛特，那个被猫追着跑，只是为了让那个可怜的懒东西做做运动的若赛特不见了！完了，这一切都结束了！”

它把翅膀收了起来，合拢在身体两侧，就像加布里埃尔发火的时候，它恶狠狠地看了房子一眼，然后说：

“还有，今天晚上，我还那样做来着，那只蠢猫！那时我的身体还不够高，不能反抗。”

它看上去好像不想向我挑衅，甚至像是已经把我忘了的样子，但是我也只敢远远地看着它。它看着楼上的灯一盏接一盏地都灭了，然后就飞到了墙上。它小心翼翼地在石板上找到宽一些的地方放自己的爪子，尽量不让爪子发出刺啦刺啦的声音，它的爪子已经变得又大又锋利了。

我不愿意说其他动物的坏话，但是，母鸡一直都不是家禽饲养棚里最灵活的动物，它们飞跃不了障碍物，而且总是晕头转向的。但是，变态的若赛特，它变得比原来灵活了一倍！

它的目光中充满了智慧，然而，当我看到它用一个翅膀转动着厨房的门把手的时候，我还是被吓呆了。虽然它身形庞大，但是仍然慢慢地钻进了厨房，然后在身

后把厨房的门又关上了。

那只猫！

有一分钟，我承认，我觉得那都是那个懒惰的家伙罪有应得，但是这种想法仅仅在我忘记了自己的责任的时候闪现了一下而已。我是主人的狗，我！我是主人的狗！就在我鼻子底下，变态的若赛特准备再一次犯罪了！

没有时间等主人听到我的叫声再来给我开门了，我大叫着跳起来从玻璃窗上撞了进去。我在一阵小雨似的碎玻璃片中落在了地砖上，然后变态的若赛特转过了身。它慢慢地张开了自己的翅膀，用红红的眼珠紧盯着我：

“你离得太远了，我的小雷克斯，实在是太远了……算你倒霉了！”

它一边用嘴发出“咔咔”的声音，一边向着我走了过来。

第十二章

可怜的雷克斯

“雷克斯已经老糊涂了。”我的主人叹着气说。

他很早就起床了，起来给我换药，我的嘴上、背上、尾巴上都是小伤口，是我冲破窗玻璃的时候划伤的。我是受了点儿苦，但如果不是主人的女儿从楼上跑下来了的话，那么，变态的若赛特会在我身上留下更大的伤口，我会受更多的苦,这点儿小伤也许根本就不算什么了。听到她快速跑下楼梯的脚步声,若赛特用力扇动了一下翅膀,从窗口飞了出去。它最后只有时间转身说了句威胁我的话:“你现在已经是我的了,雷克斯,小心你的皮!”

“你确定不用找兽医过来吗?”加布里埃尔看了我的伤口以后问。

“兽医!”她的儿子抗议了,“为了一只狗!要付出诊费!然后呢,然后,为什么不叫救护车呢?”

这个家伙,我记住了……他走路的时候最好不要把小腿露在我的嘴前面,我很可能会老年痴呆到咬他一口!

“走吧,会好的,”主人干脆地说,“它的伤口都不深,明天,我们就什么伤口都看不到了……”

主人把我照顾得很好。以前,我从来没觉得不能跟他说话是件这么痛苦的事。他了解我大部分吠叫的意思,而且直到现在,我们都能很好地理解彼此的意思。但是,我要怎么叫才能让他知道,我找到凶手了,是若赛特,它因为膨胀剂的关系变态了。

我觉得,如果我一下子会讲人类的语言的话,一切就都解决了。

动物们也不相信我,最后……是猫。这只忘恩负义

的猫，我现在只能跟它说话了，因为我太虚弱了，根本就不能去院子里溜达，只能待在屋子里。

当我跟它讲述事情的经过的时候，当我向它解释是我救了它的命的时候，当我跟它说是我阻止了若赛特的罪行的时候，它居然在笑。我向你们发誓，它确实笑得胡子都抖起来了。

“巨大无比，我跟你说，它能从窗户那里飞过去。”

“嘻嘻！院子里的动物们都在说，你老糊涂了，我还不相信，可是现在……”它出去跟那些家禽讲述我糊涂的细节去了。我听到它们在院子里咯咯地叫。啊！如果我可以出去，哪怕只是跟那两个小伙子说说，我也就满足了。它们又是在哪儿过夜的呢，那两个家伙？

我勉强能用两条前腿站起来。加布里埃尔负责我的食物，她在我的食盆里装满了香喷喷的肉丸子。我原来希望那些化学产品可以让我的饮食水平提高一些，从某种意义上来说，现在也算是如愿了。

我决定要睡觉，睡觉，我要尽快恢复起来，好开始行动。这可不是件容易的事情，我脑子里总是在想着变态的若赛特。然而，主人和他的家人照看着我，我一直半睡半醒的，或者可以说一直在做噩梦，这时，我听到了自己作为狗的一生之中最坏的事情。

“可怜的小东西！”加布里埃尔哀叹道，“这让我想起了我们刚看到它的时候。对于它们这种品种的狗来说，那时候它实在是太小了，而且真的很傻。它是一窝小狗里发育最不好的，不过，它吃起东西来可是狼吞虎咽的。”

“这可没料到！”主人的女儿说，“那你们为什么选择了它呢？”

“我们没有选择它，我们只是把它留下了，”主人回答，“那些小狗都是我们家的狗下的。别的小狗我们都送人了，但这只没人愿意要。”

这是我的一生中最坏的事情！我会向他们证明的，我——一窝小狗里发育最不好的那个，要向他们所有人证明，我既没有老糊涂，也不傻！

第十三章

这可没料到！

最终，我还是沉沉地睡着了，然后，为了让人觉得加布里埃尔所言不虚，我睡醒以后，像比佐耶农场的猪一样吃了起来。太阳还没有下山，我就已经可以站起来了。还有一点儿颤颤巍巍，但是我有钢铁一般的意志，变态的若赛特已经领教了什么叫作“主人的狗”。我蹒跚着走到了院子里，我觉得走路对我很有好处，我越来越灵活了。我站在院子中间，恶狠狠地瞪了一眼那些一下子就四散跑开的家禽。若赛特已经不见了，这正是我想要的。我开始吠叫：

“贝贝特！努瓦罗！过来，快点儿！”

它们小跑着来到我面前，互相交换了一下眼神——不安，惊讶。

“你们能告诉我昨天晚上你们在哪儿待着吗，两个没用的东西？”

它们立刻就明白了，我现在不是在开玩笑。

努瓦罗和贝贝特，它们有生以来第一次在我面前低下了头，夹紧了尾巴。

“我们……我们围着农场转了一圈，”努瓦罗犹豫着说，“我们想……”

“你们想什么？”我打断了它。

“我们……我们想知道是不是还有别的罪行。”贝贝特接着说。

“然后呢？”

“然后……什么都没有。”努瓦罗嘟嘟囔囔地说，声音小得几乎听不见。

“从现在开始，你们这两个小丑，我让你们做什么你们就做什么！”

其他动物都跟我们保持着一段距离，但是它们都在紧盯着我们。

“你……你好点儿了吗？”努瓦罗居然还敢问我，“那只猫说……”

“啊，是吗？它说什么了，那只猫？”我大吼。它们吓得一句话都没敢说。

我下达了命令：

1.先发布通知，寻找若赛特。

2.明令禁止单独行动。

3.明令禁止离开农场。

4.把所有家禽都赶进鸡窝，包括鸭子，让它们紧紧站在一起。

立刻执行！

两个小伙子开始跑来跑去。

过了一小会儿，命令就完全得到了执行。

我听到主人的声音从门下面传了出来：“看啊，加布里埃尔，我的狗吃起东西来像头狮子一样！我不知道它为什么要把鸭子也赶进鸡窝里去，不过说起来，这段时间我不明白的事越来越多了。我甚至连那只母鸡都没找到，没能给它喂化学产品！我还是去睡觉吧，拿着……”

狮子！这让我热血沸腾起来。当我的主人冲我吹口

哨“嘘!过来,雷克斯,咱们去睡觉”的时候,我做了一件昨天连想都不敢想的事情,我没听他的话。

主人进去了,耸了耸肩,重复了一遍:“不过说起来,这段时间我不明白的事越来越多了……”

我安排了巡逻的顺序。努瓦罗,贝贝特,努瓦罗,贝贝特,我,然后重复。它们巡逻两圈,我巡逻一圈,下命令的人就是这样。

我不确定那两个小伙子是不是相信了我说的若赛特的事,但是它们没再吵吵。

家禽也没提出异议。它们都紧紧地挤在鸡窝里,根本就睡不了觉。它们“咯咯咯咯”地说着,互相推搡着,做着各种假设。

“它们说是若赛特……”居斯塔夫开始说,“我听贝贝特说的。”

“胡说八道!”一只令人厌烦的母鸡不高兴地说。我没认出它来。

“啊,是吗?”居斯塔夫发火了,“那为什么它没在这儿?它们说是因为化学产品!”

它们都震惊地小声讨论起来。

“但是,你们觉得一只母鸡怎么能杀死波斯卡尔?尤其是它还杀死了比佐耶家的猫那么暴力的动物。”

“确实是！”那只我没认出来的母鸡接着说，“那是一个真正的坏蛋，它一定跑得非常快！”

我心想，能说这话的粗俗的母鸡，只能是露丝了。

第十四章

会致死的！

一大早，可能也就是五六点吧——没人知道到底几点了，因为再也没有公鸡打鸣了——人们找到了若赛特。事实上，是猫找到它的，它闻到了它的味道。那只猫也终于算是做出了一点儿贡献。它在拖拉机的下面发现了若赛特。当时若赛特正在全身发抖，小小的，缩成了一

团。

“若赛特!若赛特!”这个游手好闲的家伙一边喊一边冲着我跑过来。

“看看,你这大清早的在院子里折腾什么呢,你?”

它皱着眉头说:“它们把我关在外边了……”

不过它马上接着说:“不过不是故意的!”

若赛特真可怜。

“我并不是想反驳您的话,雷克斯,”努瓦罗在巡逻完第二圈以后反驳我说,“它看上去并不那么可怕,不像是个杀手。”

我们慢慢地把它从拖拉机下面弄了出来,它费力地喘着气。

“对不起……对不起,雷克斯……”它小声说,“是化学产品……”

另外两只狗崇拜地看着我。

“这可是没想到!”努瓦罗大叫道,“您是对的,雷克斯……它的嘴上还沾满鲜血!”

“鲜血……”贝贝特呻吟了一声。

“别杀我,这不是我的错……是化学产品……我也控制不了自己……”

那只猫露出了它的爪子说:“你的样子还真像是害怕被杀啊!”它大喊。

“开……开始，我什么都不记得，只有……只有昨天晚上……哦，雷克斯！”

它瘫倒在了地上。

我们把失去意识的若赛特弄回了鸡窝，在我的命令下，贝贝特向家禽们解释了事情的经过。自然，最气愤的是那些在屠杀中失去了自己孩子的母鸡们。我以为那些母鸡会指责若赛特，但是，居斯塔夫大声喊起来：

“那些化学产品是会致死的！”

“致死死死死！”母鸡妈妈们叫起来。

很快，所有家禽都投入一场动乱中。

“我们要让主人也吃一些化学产品,看看他会不会膨胀起来!”连露丝都吼叫起来,不过大家都知道,这只母鸡有一点儿歇斯底里。

我可不愿意看到这个场面,一个一个的都越来越激动。我觉得局面已经不在我的控制之内了,这简直是不能容忍的。十五年来,我从来没有像今天一样,感觉到自己确实是主人的狗,这种感觉应该继续下去。

那只猫不仅没努力让家禽都冷静下来,还慢慢地刺激它们。

“可怜的若赛特,”它低声地说,“你们要知道,这种情况可能发生在你们任何一个的身上,任何一个!”

“那些化学产品是会致死的!”

“主人当时也可以在你身上试验膨胀剂,居斯塔夫,在你身上,或者在你身上,露丝……”

“那些膨胀剂是会致死的!致死死死!”它们叫的声音越来越大。

“而且,”猫继续说,“谁又能跟我们保证这样的事情不会再次发生呢,嗯?你应该知道,雷克斯。不管怎么说,你和主人是一样的!”

它们都用一种令人恶心的眼神看着我,尤其是露丝,甚至还包括居斯塔夫。为了安全起见,我向后面的鸡窝门退了三步。仇恨愈演愈烈。

"雷克斯和化学产品,也是一样的。"那只猫小声说。

这个大骗子!要知道,我从变态的若赛特手里救过它啊!现在,如果我还想得到大家的尊敬,或者说还想活命,就得做点儿什么了。于是,我大喊:

"我是跟你们在一起的!咱们走!"

我们所有动物就一齐向着主人的房子走去了。

所有的玻璃窗一下子都被打破了。所有门、窗也都被推挤开了。它们进入了房间的每一个角落——这些鸭子、母鸡,幸免于难的小鸡,还有那两个小伙子。

所有家禽都在那只猫的带领下进了屋子,我给那只猫起了个名字,叫侦察兵,因为只有它才知道主人把化学产品藏在哪里。它们包围了那个地方。

它们在一片震耳欲聋的吵闹声里,跳上桌子、椅子、壁橱。露丝站在贝贝特身上吼道:

"咱们要堵住楼梯!"

主人,加布里埃尔,他们的女儿、儿子,都疯了似的冲下来,却被家禽淹没了。他们不知所措,尤其是不知道往何处落脚。

"这是发生什么事情了?发生什么事情了?"主人不停地说。

"小心!小心别伤到我的母鸡!"加布里埃尔哭着说。

他们的女儿神经质地大笑起来，他们的儿子踹开一切移动的东西。

“在厨房工作间！”猫大叫，“在碗橱里！”

那两只年轻的狗狠狠地向碗橱的门撞了几下。门开了，所有人都看到了那个装着化学产品的小瓶子就放在最高的那层架子上。猫跳了上去，站在了小瓶子的前面。我明白了，它还是认可了我的领导的，它在等待着我发

出掀翻那个瓶子的命令。它举起爪子，看了看我。于是，为了让我的军队——这支动物组成的军队满意，我也像它们那样喊起来：

“那些化学产品是会致死的！”

然后，在一片寂静之中，小瓶子穿过房间，在主人的脚底下摔碎了。

第十五章

在秋天

没人再谈论这件事了,但是大家都没有忘记。

主人又去种植玉米了,他甚至都不敢再往田里施化肥了。若赛特慢慢地恢复了,虽然偶尔它还会伤心,但是我觉得大家都已经原谅它了。

在与化学产品做斗争的日子结束以后,年轻人对我

非常尊敬。但是过了一段时间，它们也不再像以前那么尊敬我了。不过，这些都是我早就预料到的，像我这个年纪的狗……

不，又有一次，人们又谈论起了这件事。

那是在秋天。

当卡斯东表弟把他的轻便摩托车停在院子里的时候，只有我和猫在旁边。天气还很热，天空中飘着几片云。主人的女儿在听小提琴曲。儿子和加布里埃尔正在修葺鸡窝的屋顶，鸡窝顶已经漏了，但是因为可能有暴风雨，所以应该抓紧时间赶快修理好，远处的天空中有闪电划过。

主人是唯一一个走出来迎接卡斯东表弟的人。他轻轻地拍了拍表弟的肩膀,那动作就是鼓励他的意思。

“嘿,来了,老表弟!快来喝一杯!”

我求了猫半天,它最终才把它听到的一切都告诉我了。原来,有人吃了卡斯东表弟的牛肉以后就开始生病,做出一些很奇怪的动作。所以,卫生检疫部门和警察就介入了这件事。最终,卡斯东表弟失去了一切——他的农场,他的牛,他的梅赛德斯-奔驰。

我一定要找机会把这一切都讲给若赛特听!

索菲·迪奥埃德

Sophie Dieuaide

索菲·迪奥埃德有丈夫,几个孩子,一只猫,几只老鼠,不过……她并没有母鸡,也没养狗。目前为止,她出版了三十多本小说,而这一本侦探小说,得到了三个文学奖。

《农场疑案》教学设计

吉忠兰/教师、阅读推广人

一、内容简介

法国作家索菲·迪奥埃德的《农场疑案》是以一条狗为主角写的故事，以狗的眼睛看世界。雷克斯是农场主人最心爱的一条狗。为了促进牛的快速生长，农场主人在表弟卡尔斯的蛊惑下想给牛喂一种化学产品——膨胀剂。雷克斯也希望主人尽快使用化学产品喂牛，以期待自己的伙食能得到改善。农场主人不敢贸然使用化学产品，决定先用母鸡若赛特做试验。没想到，农场里接二连三地发生死鸡、死猫的血腥事件，场面非常惨烈。一开始，雷克斯在帮助主人稽查凶手时，并未表现出怎样的热情。随着连环惨案的不断发生，雷克斯开始认真地思考起来，经过侦查，终于发现了凶手。原来，若赛特无法控制化学产品的魔力，夜间出来残害其他家禽。在主人

的猫即将遭受若赛特袭击的关键时刻，雷克斯勇敢地破窗而入，真正尽到“主人的狗”的职责。最后，雷克斯还以其果敢的命令，拯救了农场里的家禽们。结局是令人欣慰的，滥用化学产品的卡尔斯得到了应有的惩罚，动物们也以宽容的心态接纳了若赛特……故事充满悬疑，娓娓道来，又扣人心弦，平和的笔调中笼罩着神秘和诡异的色彩。也许这是一个现实中不大可能发生的故事而已，但我们不得不承认，我们的生活环境每天都在遭受着严重的破坏。人类是不是也正遭受着隐形杀手袭击的危险呢？环保加侦探，这部篇幅并不长，却足够惊心动魄的故事在带给我们阅读享受的同时，也带给我们深深的思考。

二、阅读要点

1.读这本书时，你千万不要因为好奇而先翻看结局，那样会破坏故事本身的悬疑感和你继续阅读的积极性。你最好是一边阅读，一边像神探柯南一样在字里行间搜寻可疑信息，并判断谁是真凶。

2.阅读外国作品，最心烦的莫过于有太多拗口的人名。你要么可以制作一张人物名称谱，仔细搞清楚谁是谁，要么干脆忽略那些次要人物的姓名，只记住几个主角的名字即可。在朗读和讲述故事的时候，为了让听众听得更明白，尤其要对众多的人物名称做一些处理。

否则，听众会听得晕头转向。

3.书中有一些比较生涩的名词术语，譬如：化学产品、环保主义者、地球变暖、含水层、阿司匹林……你可以借助词典了解一下它们的意思，便于更好地理解故事内容，把握作品主题思想，同时也能丰富你的知识储备。

4.和日本作家夏目漱石的作品《我是猫》一样，《农场疑案》在创作手法上的特别之处也是以一种动物的眼睛看世界。

5.故事有两条并进的线索：雷克斯的想法和举动，以及疑案本身的发展。当你在阅读的时候，你自己的感触又成为另一条线索，随着情节的推进而发展变化。雷克斯在侦破疑案过程中所收获的也许是它之前生活过的15年都未能实现的，就像一个人经历成长蜕变，从而走向真正的成熟。

6.本书善于运用环境描写来烘托氛围，譬如"那时正是八月末，湿热的天气持续了好几天，好像要有一场暴风雨的样子，但是雨一直没下。天阴沉沉的，有云的地方就显得很亮，而且不时有闪电在空中出现。"这样的描写是八月末天气情况的真实写照，也在无形中营造了诡异和悬疑的气氛，预示着一场"暴风雨"即将来临。

三、话题设计

1.你同意农场主人对牛或其他动物使用化学产品

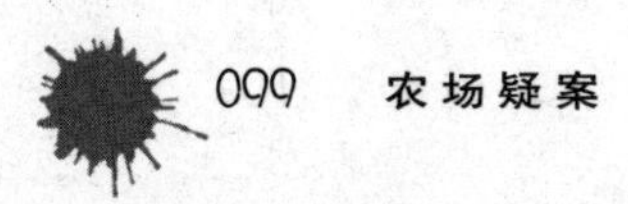

吗?为什么?

2.若赛特是一只一个星期只会下两只蛋的母鸡,你喜欢它吗?它残害了那么多的小动物,你觉得应该原谅它吗?

3.在你的心目中,雷克斯是一条怎样的狗?它在破获这起案件中发挥了什么作用?

4.你愿意像主人的女儿一样当一个"环保主义者"吗?

四、活动设计

1.我当小小调查员

在我们的身边,有哪些不够环保的现象,请做一个小小的调查,并完成下面的表格,有兴趣的还可以写成简单的调查报告。

不环保的现象				
造成的后果				

2.我当环保小卫士

面对这么多危害环境的现象,我们可以怎么做?你还有什么好办法呢?

A.搜集有关环保的漫画,或者自己创作宣传画,编写手抄报,在学校、社区等公共场所展示,并对参观者进行讲解宣传。

B. 以某种动物或植物的名义，给人类写一封信，控诉人类的罪行，提出保护环境的倡议，以及爱护环境的具体做法，比如：塑料袋是世界上最糟糕的十大发明之一。我们要从自己做起，从家人做起，呼吁所有人不使用塑料袋，减少白色污染。

C. ____

____

____

____

____

D. ____

____

____

____

____

五、相关链接

1.作者介绍：

索菲·迪奥埃德有丈夫，有孩子，有一只猫，几只老鼠，不过……她并没有母鸡，也没养狗。目前为止，她出版了三十多本小说，而这一本侦探小说，得到了三个文学奖。

作者网站：www.sophie-dieuaide.com

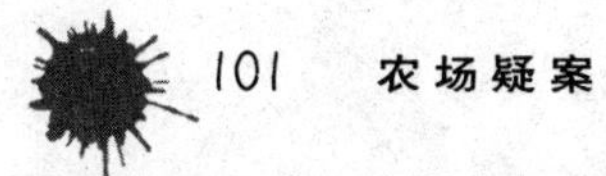

2.书目推介：

《我很臭》：现代人的生活物质丰富，制造的垃圾也多。垃圾车的任务非比寻常，夜色里，穿街过巷，把千家万户的垃圾收起来，让城市清新，环境美丽，人们生活更美好。我很臭但我很重要。

《爱护环境——贝贝熊系列丛书》：做家具工作的熊爸爸终于认识到了保护环境的重要性，加入“拯救地球”俱乐部，做起了环保志愿者。

《再见小树林》：一本传达与森林共生、歌颂大地植物生命力的绘本。

《神奇校车——有趣的食物链》：在身临其境中，孩子们感受到了食物链的神奇，明白了人只是生物圈中的一部分，人类应该通过自己的努力保护各个生态系统，促进生态平衡。